Collection ƒ

Traduction de Christine Diane

ISBN : 2-07-056705-2
Titre original : *A Country Far Away*
Publié par Andersen Press Ltd, Londres
© Nigel Gray 1988, pour le texte
© Philippe Dupasquier 1988, pour les illustrations
© Editions Gallimard, 1988 pour la traduction française,
1992 pour la présente édition
Dépot légal : avril 1992
Numéro d'édition : 54759
Imprimé par la Editoriale Libraria en Italie

Un pays loin d'ici

Nigel Gray

Illustré par

Philippe Dupasquier

Gallimard

Écoutons Mahdi et François raconter
leurs vies, elles se ressemblent beaucoup…

Pourtant, quelle différence !

J'ai aidé papa et maman.

On a bien travaillé et ils étaient
vraiment contents.

Aujourd'hui, c'est le dernier jour
du trimestre.

Nous rentrons à la maison plus tôt que d'habitude. Vive les vacances !

Je fais beaucoup de bicyclette
avec mes amis.

Sans me vanter, je suis
un des meilleurs !

Maman va bientôt avoir un bébé.
Nous attendons tous.

Enfin, il est né! Et c'est une fille!
Comment allons-nous l'appeler?

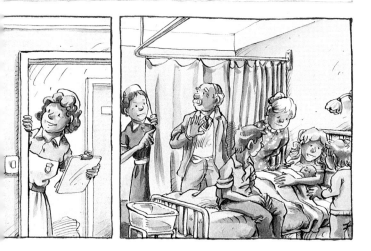

Ce matin, il a beaucoup plu.

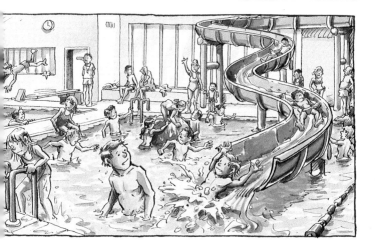

Alors j'ai décidé d'aller me baigner.

Nous partons pour la ville,
car c'est le jour des grandes courses.

Ça prend un temps fou!

Nous avons acheté des tas
de bonnes choses.

J'adore faire les courses.

Il y a une grande réunion de famille pour célébrer la naissance de ma petite sœur.

Ça fera une belle photo !

Mon équipe a gagné
le match de football.

J'ai même marqué un but!

Mon cousin préféré est venu
me rendre visite.

On s'est bien amusés,
et on s'est couchés très tard !

J'ai regardé dans un livre des images
d'un pays loin, très loin d'ici.

Ah! comme j'aimerais y aller un jour…

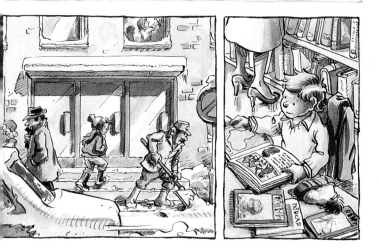

... et connaître de nouveaux amis.

Pour les benjamins
qui ont envie de découvrir
d'autres histoires drôles et sagaces :